50

0-12 meses

actividades

para estimular

a tu **bebé**

DI039698

imaginador

Clara Sumbland
    50 actividade   para estimular a tu bebé. - 1ª. ed.
    Buenos Aires: Grupo Imaginador de Ediciones, 2008.
    128 p.; 20x14 cm

    ISBN: 950-768-501-4

    1. Guía para Padres-Bebés. 2. Bebés-Estimulación.
    I. Título
    CDD 649

I.S.B.N.: 978-950-768-501- 9

Primera edición: marzo de 2005
Última reimpresión: julio de 2008

Se ha hecho el depósito que establece la Ley 11.723
© GIDESA, 2008
Bartolomé Mitre 3749 – Ciudad Autónoma de Buenos Aires
República Argentina
Impreso en Argentina – Printed in Argentina

Se terminó de imprimir en Mundo Gráfico S.R.L, Zeballos
885, Avellaneda, en julio de 2008 con una tirada de 2.000
ejemplares.

Un año decisivo

Desde que un niño nace hasta que cumple su primer año de vida experimenta muchísimos cambios y realiza importantes avances. Además, alcanza una tasa de crecimiento físico única, que no se repetirá.

¡Qué rápido crece!

En los primeros cuatro meses duplicará el peso que tenía al nacer y, al año, lo triplicará. En menos de un año, el frágil recién nacido que ni siquiera podía sostener su cabecita, le dará paso a un intrépido bebé que logra treparse a las sillas y dar sus primeros pasos.

A las pocas horas de nacer regalará su primera sonrisa y, en unos meses, deleitará los oídos de la familia con sus graciosos gorjeos. Se sentará manteniendo erguida su espalda y comenzará a comer solo utilizando sus manos. Es tan intenso y vertiginoso el desarrollo del bebé en su primer año de vida que los adultos no deberían perderse la oportunidad de vivirlo de cerca.

"Los niños se crían solos", solían decir las abuelas –mamás de las generaciones anteriores–, probablemente con la intención de alentar y tranquilizar a las madres primerizas, agobiadas por el frecuente temor de no hacer lo correcto. Esta frase y otras enseñanzas que se han transmitido de generación en generación se tienen muy presentes cuando llega el momento de ser madres. Sin embargo, cuando nace ese bebé tan esperado descubrimos que, en realidad, nuestro hijo depende mucho más de nuestra intervención diaria no sólo para sobrevivir sino también para poder desarrollarse plenamente estimulando su maduración. En la actualidad, se sabe que cuanto mayor sea la participación y compromiso de los adultos en sus juegos y actividades diarias, mayores serán las potencialidades que podrá desarrollar cada niño.

Los bebés y los niños pequeños aprenden de la imitación. Nos observan, escuchan y prestan atención. El ejemplo del adulto es determinante en la formación de sus ideas, el desarrollo de sus sentidos, la maduración afectiva y la conformación de su intelecto. En este sentido, la estimulación precoz es una herramienta que permite optimizar aún más la tarea cotidiana de ser madres, padres, abuelos. Es muy importante recordar que la crianza del bebé debe ser realizada a conciencia y con el objetivo de alentar su desarrollo madurativo.

La
estimulación
temprana

CAPÍTULO 1

Neuronas en red

Estudios recientes en neurología han corroborado la importancia de la estimulación temprana para el desarrollo de la inteligencia del bebé.

Al nacer, el organismo cuenta con casi todas las células nerviosas que va a necesitar en su vida. En la actualidad, se sabe que el desarrollo intelectual no tiene que ver tanto con la cantidad de neuronas como con las redes o las conexiones que existen entre ellas. Esto es así porque el cerebro funciona a través de circuitos formados por células nerviosas que se encuentran conectadas por sinapsis[1], por sustancias neurotransmisoras y por conexiones nerviosas.

Alrededor de la semana 25 de gestación, el feto tiene cerca de 100.000 millones de neuronas, de las cuales sólo algunas están conectadas al momento del nacimiento. La gran mayoría de ellas se irán integrando entre el nacimiento y los tres años de edad a través de las redes o conexiones que se generen por los diferentes aprendizajes que adquiere el niño.

Este es uno de los principales fundamentos de la estimulación precoz de los bebés. Su objetivo es impulsar la creación de mayores conexiones neuronales a través de ejercicios y juegos que ejerciten todos los aspectos que un bebé debe desarrollar a lo largo de su maduración

---

1. **Sinapsis:** *zona de transmisión unidireccional de la corriente nerviosa entre neuronas o entre una neurona y otro tipo de células.*

sensorial, intelectual, motriz, social y afectiva. Por ejemplo, un bebé aprende a sostener con eficacia los objetos gracias a las innumerables veces en que no lo pudo hacer de forma efectiva. Poco a poco aprenderá a coordinar la visión con los movimientos de sus manitos y a ejercer una adecuada presión con los dedos para que el objeto no se caiga de sus manos.

Las primeras experiencias del bebé y todos los estímulos sensoriales que recibe –escuchar diferentes voces y sonidos, ser acariciado o tocar variadas texturas, ver objetos en movimiento y distintos colores– lo estimulan a generar las conexiones nerviosas en su cerebro. Por todo lo expuesto anteriormente, la intervención del adulto proponiéndole juegos y actividades puede ser muy productiva en la medida que le ofrezca mayores estímulos para la práctica de habilidades acordes a su edad.

¿Cuándo es el tiempo de empezar?

Muchas madres se preguntan cuál es el momento ideal para empezar con la estimulación del bebé. La respuesta es: ¡cuanto antes, mejor! Diferentes investigaciones científicas comprobaron que ciertas conexiones neuronales, como las del sentido de la vista, entre otras, deben desarrollarse de manera temprana. Si por algún motivo, un niño no pudo ejercitar su vista durante los primeros cuatro meses de vida, después de ese período, quizá haya perdido la oportunidad de desarrollar la visión porque se insensibiliza el circuito correspondiente.

Beneficios comprobados

Otras aptitudes sensoriales, motrices o intelectuales tienen más tiempo de desarrollo (el cerebro completa su crecimiento cerca de los 20 años de edad) pero los beneficios de la estimulación temprana desde los primeros días de vida están comprobados por numerosos estudios.

La estimulación temprana comprende una serie de ejercicios que pueden realizarse con el bebé. También incluye demostraciones de afecto y comunicación. Hablarle, sonreírle, mirarlo a los ojos con atención, acariciarlo, cantarle con diversos tonos de voz y recurriendo a distintos volúmenes, bailar con él, masajearlo o bañarlo pueden ser actividades muy estimulantes. Lo mismo sucede cuando el bebé escucha música, observa objetos de diversos colores, prueba sabores diferentes o huele variados aromas. En cada una de estas experiencias se envían al cerebro distintos mensajes, aumentando las conexiones cerebrales.

El contacto físico, las caricias, ser tomados en brazos son otras formas de estímulo temprano, fundamentales para la maduración de los bebés. Las caricias les permiten a los muy pequeños comenzar a reconocer su cuerpo y tomar conciencia de sus límites y, a la vez, fortalece el vínculo afectivo con los padres.

Cómo realizar
la estimulación

El primer paso consiste en adaptar los ejercicios y las propuestas a las particularidades de cada bebé. Las etapas madurativas no son estáticas. Hay niños que comienzan a gatear antes de los siete meses y otros que lo hacen más allá de los catorce. También puede ocurrir que pronuncien sus primeras palabras un poco más tarde que otros. Por todo ello, la primera regla es observar al bebé, conectarse con él, respetar sus tiempos y sus gustos. Esta tarea de comunicación servirá, además, para facilitar un vínculo sólido y amoroso con él.

Nunca hay que forzar a un niño a realizar actividades cuando no está predispuesto o se muestra reticente ni tampoco se debe adelantar la práctica de funciones cognitivas propias de etapas posteriores. La propuesta es que madre e hijo practiquen juntos este juego placentero. La madre debe observar la respuesta del bebé frente a las actividades. Si éstas lo divierten y le producen placer, la estimulación será provechosa y efectiva. De lo contrario existe el riesgo de la sobreestimulación, que se manifiesta a través de irritabilidad nerviosa, estrés, o sentimientos de frustración en el niño.

El recién nacido:

bienvenido
al mundo

CAPÍTULO 2

Comienza
la aventura

Los primeros días de vida de un bebé no suelen ser fáciles. Aún no hay horarios ni rutinas, lo cual impide una buena organización. El maravilloso bebé que acaba de convertirnos en padres o abuelos es una personita desconocida que, con el correr de los días, irá mostrando sus necesidades y sus preferencias. La etapa de adaptación ha comenzado para todos; en especial, para la madre. Ya habrá tiempo de organizarse… Por el momento, el bebé rige los tiempos de la casa y todos deben adaptarse a ellos.

La estimulación del recién nacido puede comenzar el mismo día de su nacimiento. Sin embargo, es necesario conocer lo que se le puede brindar y enseñar para que las diferentes actividades, además de estimulantes, sean placenteras.

¿Por qué llora?

En su vida fuera del útero, el bebé comenzará a experimentar por primera vez sensaciones de hambre, sed, frío o temor. Y la única forma que tiene de expresar sus necesidades

y disconformidades hasta que comienza
a hablar es a través del llanto. Por eso
un bebé recién nacido llora mucho, no
necesariamente por dolor o sufrimiento.

Al nacer, un bebé puede mover y flexionar los brazos y las piernas pero en forma brusca y sin coordinación.
Aún no puede sostener su cabeza pero estando boca abajo puede levantarla por unos segundos. Es probable que a
menudo le tiemble el mentón, que bostece y tenga algunos episodios de hipo diarios. Estornuda con frecuencia,
carraspea y emite ruidos al respirar sin que esto indique
problemas respiratorios.

Casi como en el útero

Todavía mantiene muy frescas las
sensaciones intrauterinas y por este motivo
es probable que se "pegue" contra la pared
del moisés o que llore al dejarlo solo sobre
una cama. Posiblemente aún extrañe el
cobijo que sentía en el espacio reducido
del útero. Si duerme en una cuna grande
es conveniente agregar una chichonera
o algún elemento mullido que reduzca
el espacio interior y lo mantenga
más cobijado.

El recién nacido llega al mundo con una serie de respuestas reflejas físicas que le facilitan la supervivencia. Tiempo después, estos reflejos desaparecerán porque corresponden a respuestas que él deberá aprender y desarrollar de manera voluntaria.

Por ejemplo:

A Al tocarle la palma de la mano, la apretará con firmeza debido al reflejo de prensión.

B Si se lo sostiene de pie, permitiendo que las plantas de los pies toquen una superficie, dará algunos pasos gracias al reflejo de marcha.

C Ante un ruido fuerte o si se lo inclina hacia atrás –lo que le puede provocar la sensación de caída–, tenderá a estirar las piernas, los brazos y los dedos. Luego los replegará hacia el pecho por el reflejo de Moro o de sobresalto.

Hay que tener en cuenta que a los bebés y a los niños pequeños les desagradan los movimientos bruscos porque les provocan sensación de vértigo. Si se le pasa la mano por la planta del pie, desde el talón hacia el dedo gordo, levantará los dedos y llevará el pie hacia adentro por el reflejo de Babinski.

Un reflejo muy útil durante el amamantamiento es el del hociqueo. Cuando se le toca o pellizca suavemente la mejilla gira la cabeza y abre la boca hacia ese lado, listo para prenderse al pecho.

Aunque muchos recién nacidos sonríen dormidos no se trata de la sonrisa social, la que aparece entre el segundo y el tercer mes. En realidad, se trata de un movimiento reflejo que surge como respuesta al bienestar que siente por haber comido bien, por el disfrute del descanso o por sentirse cobijado en brazos.

También es probable que se chupe los dedos y puños intensamente. Puede ser por hambre aunque, por lo general, es una forma de autoconsuelo ya que lo hacía en el útero. Por otro lado, también le recuerda el placer que siente al chupar el pezón.

Los sentidos
del recién nacido

La vista

En los primeros días de vida, el bebé distingue los colores blanco y negro, los contrastes de luminosidad y la oscuridad. Enfoca a unos 25 a 30 centímetros de distancia, que es justamente la distancia a los ojos de su madre cuando lo amamanta, pero no distingue con nitidez. Al final del primer mes podrá enfocar a 18 centímetros, es decir, logrará mayor nitidez a una menor distancia. Consigue seguir con la mirada el desplazamiento de un objeto que se mueve lentamente en sentido horizontal. Le gusta ver la cara de las personas. Aunque no distingue bien la profundidad de los objetos puede ver en tres dimensiones.

El oído

Después de haber escuchado la voz de su madre durante todo el embarazo, logra reconocerla desde que nace. Cuando está inquieto o llora, la voz materna lo calma. Tiene una captación de sonidos similar a la de un adulto. Por eso hay que utilizar un volumen mediano de música, sonidos o voces. Los ruidos muy intensos o estridentes lo molestan, al igual que ruidos inesperados, que pueden sobresaltarlo y asustarlo.

El olfato

Es uno de los sentidos más desarrollados del recién nacido. Le desagradan los olores muy intensos y penetrantes. Por ello es conveniente no utilizar perfumes ni jabones desodorantes. Por el contrario, hay que utilizar jabones neutros que no alteren el olor natural de la piel ya que reconoce a su madre por el olfato.

El gusto

Es otro de los sentidos más agudos del recién nacido. Es capaz de distinguir los sabores dulce, salado, amargo y ácido pero prefiere el primero, que coincide con el de la leche materna.

El tacto

Las caricias, el contacto de su piel con otra piel, forman parte del primer lenguaje que entiende el bebé. Además de hablarle suavemente, tocarlo y besarlo son formas de comunicación con el recién nacido que él disfruta y necesita para su desarrollo emocional y físico.

CÓMO ESTIMULARLO

¿Dónde estoy?

1 Para estimular el movimiento de la cabeza y la atención ante sonidos, colocarle a un costado de su cabecita y fuera de su campo visual, un objeto. Hablarle suavemente cerca del oído para que él gire hacia el sonido.

Masajes y caricias

2 El bebé deberá ir conformando, con el paso de los años, una imagen corporal interna. Esto se logra a partir de la toma de conciencia de las partes de su cuerpo. Aunque falta mucho tiempo para que esto ocurra, las caricias y los masajes que se le brinden diariamente lo ayudarán a sentir su cuerpo y percibir sus límites, además de ser una excelente forma de recibir amor y placer.

LOS JUGUETES RECOMENDADOS

Es aconsejable que el bebé se entretenga con juguetes que tengan formas simples, las que facilitarán la percepción del recién nacido. Estos deben ser muy coloridos y

de textura suave. Por ejemplo, peluches o acolchados. También es conveniente seleccionar juguetes musicales o que produzcan sonidos. Un cunero, un móvil con música, un sonajero de peluche son elementos que disfrutará el recién nacido.

De 1 a 3 meses: un bebé en casa

Capítulo 3

El bebé
de un mes

Al cabo de cuatro semanas, el bebé comienza a tener hábitos más predecibles. Al igual que en sus primeros días de vida, duerme gran parte del tiempo y, por varias semanas más, continuará despertándose cada tres o cuatro horas para alimentarse.

Probablemente, su madre estará más agotada por la falta de sueño. Sin embargo, con la vida familiar más organizada que en los primeros días, seguramente esté disfrutando mucho más de su hijo.

Nuevas posiciones

El bebé ya puede girar la cabeza a los costados. Comenzará a reaccionar de este modo cada vez que escuche una voz o un sonido, buscando su procedencia.

Estando acostado boca abajo también puede sostener la cabeza levantada un ratito. Mantiene los brazos doblados y las manos casi siempre cerradas.

La posición en la que está más a gusto es horizontal, acostado o en brazos. Por ejemplo, si se intenta sentarlo, sosteniéndolo por almohadones, respirará con dificultad debido a la falta de tonicidad de los músculos intercostales y los del torso.

Nuevas voces, nuevos sonidos

Uno de los cambios más notorios en esta etapa es el que puede percibirse en la mirada del bebé. Específicamente, fijará la vista más tiempo sobre el rostro de su madre, especialmente cuando ella le da de mamar o le habla lentamente, dando la sensación de que escucha o entiende lo que le dice.

Se esfuerza por producir sonidos, abre su boca y trata de vocalizar. (Algunos bebés ya balbucean al promediar este mes.)

Las voces y los rostros de quienes lo rodean son sus entretenimientos preferidos, lo mismo que mirar objetos llamativos que despiertan su atención por los colores o los movimientos que realizan.

Antes de comenzar...

Antes de comenzar con cualquiera de las actividades que se proponen para esta etapa, tenga presente las recomendaciones iniciales relacionadas con las técnicas de estimulación.

• No imponer rutinas ni horarios.

• Realizar los ejercicios como un juego, siempre y cuando el bebé se muestre bien dispuesto y a gusto.

Cómo estimularlo

Hablarle mucho

3 No hay nada como la charla permanente con el niño para que vaya incorporando el lenguaje. Aun en esta etapa inicial, en la que todavía no entiende el significado de las palabras, su cerebro está captando e integrando nuevos elementos.

Respuesta a sonidos

4 Tomar un sonajero y hacerlo sonar a un costado de su cabeza para estimularlo a que gire hacia el sonido. Llevar el mismo juguete sobre su cabeza y hacerlo sonar para que lo mire y busque el origen del sonido. Moverlo lentamente en distintas direcciones, pero nunca hacia atrás para evitar que realice movimientos forzados.

¡A HACER GIMNASIA!

Acostado boca arriba, sostenerle los tobillos. Provocar flexiones suaves de las piernas como si anduviera en bicicleta.

En la misma posición, tomar sus muñecas y llevar sus bracitos hacia arriba y hacia abajo, muy lentamente. A continuación, llevarlos hacia adelante, de manera que toque el hombro con cada mano contraria.

🌀 Tomar su cabeza entre las manos y girarla de un lado a otro.

🌀 Acercarle a los pies objetos blandos y livianos como pequeños almohadones o peluches para que los patee.

🌀 Ponerlo un rato todos los días boca abajo, siempre bajo la supervisión adulta. De esta manera ejercitará los músculos del cuello y aprenderá a levantar la cabeza.

🌀 LOS JUGUETES RECOMENDADOS

Aunque no puede sostener los objetos voluntariamente, se lo puede estimular colocando un sonajero en una de sus manos. Como aún mantiene el reflejo de prensión, al apoyárselo en su mano cerrará los dedos con firmeza.
Poco a poco comenzará a moverlo en respuesta al sonido.

Un móvil hecho con nuestras manos

No es necesario ser una hábil artesana para poder preparar un móvil. Sólo bastan algunas figuras geométricas de goma eva de diferentes colores y tamaños. Pueden superponerse varias de ellas con pegamento y atarlas con una tanza transparente a dos o tres varillas finas de madera.

Otra opción es realizar peces de colores: un rombo para el cuerpo, un triángulo pequeño para la aleta dorsal y otro mediano para la cola.

El bebé
de dos meses

La primera sonrisa es uno de los regalos más maravillosos que experimentarán los padres, en esta etapa del bebé. Lo hará cuando escuche la voz de mamá o papá, cuando sea acariciado o cuando se sienta feliz.

Un bebé más activo

A los dos meses es un bebé más activo. Permanece despierto más tiempo y comienza a prestar más atención a su entorno.

Su mirada es más firme y puede enfocar la vista más tiempo. Ve con mayor nitidez a una distancia de 50 centímetros porque ambos ojos actúan de manera coordinada entre sí. Sigue con la mirada todo lo que se mueve, tanto móviles como los rostros de las personas que pasan cerca suyo.

¡Fuerza en los músculos!

Los brazos y las piernas, que se mantenían la mayor parte del tiempo encogidas en el primer mes, ahora se mueven con más soltura. Patalea con fuerza.

Si está boca abajo, podrá levantar la cabeza durante unos 10 segundos. Como está perdiendo el reflejo de prensión, ahora él podrá asir mejor algún pequeño objeto en sus manos, aunque aún falta tiempo para que realice el movimiento de sostener y soltar objetos de manera voluntaria. Intentará agarrar el cabello de mamá o acercarse a él. Este es el momento de ayudarlo a ejercitarse en la coordinación vista-mano.

Nuevos descubrimientos

Descubrirá sus manos y comenzará a pasar largo rato mirándolas y juntándolas.

Cuando se le habla o se lo acaricia responderá con sonrisas o balbuceos. Reconoce a sus padres y se alegra al verlos y escucharlos. Manifiesta su alegría con pataditas, grititos y sonrisas.

Otra característica de este mes es que chupa todo porque la boca es una fuente de aprendizaje constante durante los primeros dos años.

Para familiarizarse con los objetos él los llevará a la boca, aun antes de mirarlos o tomarlos con las manos. Es necesario permitirle esto, excepto que se trate de un objeto peligroso.

Manitos

5 Mover las manos frente a su vista para que observe los movimientos y luego acariciar las suyas: será un excelente ejercicio para esta etapa. Existen diferentes canciones infantiles que hablan de las manos. Será una experiencia fantástica para el bebé si, además de hacer el movimiento, se le canta.

Balbuceo

6 Repetir e imitar todos los sonidos que el bebé produzca. De esta manera, prestará atención a sus balbuceos y los irá haciendo voluntariamente. Además es una excelente forma de "dialogar" en el lenguaje que él maneja.

Juegos musicales

7 Un nuevo CD, una cajita de música, juguetes que hacen sonidos o reproducen melodías son opciones ideales para esta nueva etapa. Un juego para disfrutar es elegir un tema musical que al bebé le guste (puede ser alguna canción que la mamá haya escuchado durante el embarazo), y poner distintos niveles de volumen, entre bajo y alto, no superando nunca los niveles tolerables.

8 — Acurrucarlo contra el pecho

Nunca deje de demostrarle amor, seguridad y protección. Este sentido de la autoestima y la seguridad que le brindan los padres en el hogar fijará las bases de su futura personalidad.

LOS JUGUETES RECOMENDADOS

El sonajero de llaves se aconseja a partir de los dos o tres meses, siempre que sea pequeño y liviano. El bebé disfrutará intensamente el sonido y se ejercitará en la coordinación vista-mano, que es su próximo desafío. La capacidad de asir los objetos le permitirá, además, tomar conciencia del espacio y diferenciarse de él.

El bebé
de tres meses

Uno de los logros más destacados de esta etapa es el control de la cabeza. Como posee más tono muscular, el bebé ahora podrá levantarla y girarla. Además, al tenerlo en brazos, la mantendrá erguida un buen rato.

Su motricidad se perfecciona día a día y comienza a controlar sus posturas y a elegir diferentes posiciones según su comodidad.

Nuevos avances

Si permanece boca arriba, levanta las piernas y da pataditas con fuerza. Al sostenerlo de las manos y ayudarlo a sentarse, llevará la cabeza hacia adelante (mientras que antes le quedaba colgando hacia atrás). Está descubriendo que le gusta el momento del baño y lo demuestra chapoteando vivamente con alegría y dando grititos.

Su mirada es cada vez más nítida a la distancia. Eso lo demuestra con sus graciosos movimientos de cabeza siguiendo los pasos de las personas.

Gracias a que perdió por completo el reflejo de prensión o agarre, ahora las manos toman las cosas de manera voluntaria y las mantendrá abiertas la mayor parte del día. Podrá sujetar objetos y le encantará mirárselas, entrelazando sus dedos o llevándoselas a la boca. Gracias a esta nueva capacidad podrá intentar tocar la cara o tirar del pelo de la persona que lo sostenga en brazos.

Aún le falta aprender a coordinar la mano con su vista. Necesita que lo ayuden para conseguir los objetos que desee.

Un bebé más sociable

La agudeza visual le permite comenzar a diferenciar mejor los rostros de las personas y a memorizarlos. Puede distinguir diseños más complejos.

A partir de los tres meses, el bebé comienza a desarrollar una conducta más social. Con sus manitos trata de tocar todo lo que hay a su alcance, lo que constituye un reflejo de su actitud frente al entorno. Reconoce los rostros de sus padres sin que los haya escuchado hablar y expresa su alegría al verlos.

CÓMO ESTIMULARLO

Coordinación mano-vista

9 Colocar al bebé en un "bebesit" (asiento mecedor) en el piso. Apoyar varios juguetes coloridos como sonajeros o peluches pequeños, de modo que los tenga a su alcance. Esperar a que el bebé los tome y, si no logra hacerlo, acercárselos con su mano. Tomar un sonajero y mientras produce sonido, moverlo frente a sus ojos para que lo siga con la vista e intente tomarlo con una mano. Luego acercarlo lo suficiente como para que pueda agarrarlo. Permitir que lleve a la boca todos los objetos inofensivos que logre tocar es un aprendizaje necesario para el bebé.

Peluche amigo

10) Es hora de que el bebé vaya eligiendo su objeto transicional. Es decir, un elemento (una frazada, un juguete, un almohadón) que puede usar para abrazarse y dormir con él, representando a su mamá. Es conveniente que los mismos sean muy blanditos para abrazar y livianos para que los pueda sostener.

Clase de baile

11) Utilizando música de todo tipo, muévase rítmicamente con él en brazos. Puede dar pequeños saltos, subir en puntas de pie y luego agacharse. Será una fiesta para el bebé si además realiza estos movimientos frente a un espejo.

¡A HACER GIMNASIA!

⑥ *El bebé necesita fortalecer los músculos de su torso para poder sentarse en un par de meses. Para ello, conviene dejarlo*

*todos los días un rato boca abajo: de esta
manera él intentará inmediatamente
elevar la cabeza y parte del torso
sosteniéndose sobre los brazos.*

🌀 *En la misma posición, hacerlo rodar suave y
lentamente hacia un costado y hacia el otro.
Luego esperar y ver si lo hace él solo.*

🌀 *Siempre boca abajo, pararse a un costado y
llamarlo, para que gire la cabeza para mirar.
Luego ubicarse en otro lugar de la habitación
y repetir el ejercicio varias veces.*

🌀 *Colocar un rollo de gomaespuma –o en
su defecto tres almohadones encimados–
y poner la espalda del bebé sobre el mismo.
Mecerlo suavemente.*

🌀 *Acostado boca arriba, dejar que él afirme
sus manitos en un dedo del adulto y tirando
suavemente hacia arriba ayudarlo a que
se siente. Luego de unos segundos volver
a acostarlo suavemente para que no sienta
vértigo.*

🌀 *Colocarlo boca arriba acercando sus pies
a las paredes de la cuna de manera que,
al dar patadas, encuentre una superficie
que le ofrezca resistencia. Es un ejercicio*

*excelente para fortalecer los músculos de
las piernas.*

🌀 *Repetir los ejercicios del primer mes ya
que son muy efectivos para el fortalecimiento
de sus extremidades y para su espalda.
Finalizar con unos masajes deteniéndose
un rato en cada parte del cuerpo.
Le permitirá al bebé tomar contacto con
sus límites corporales y crear conciencia
de su cuerpo.*

🌀 LOS JUGUETES
RECOMENDADOS

**Los juguetes que tienen música, aquellos
que poseen luces que se encienden al
apretar botones o los que hacen ruido
son muy estimulantes a esta edad.
El bebé está descubriendo que ciertas
acciones tienen un resultado, gracias al
despertar del pensamiento que comenzará
en estos meses.
El gimnasio es el juguete ideal para esta
etapa y seguirá siendo útil hasta que
comience a caminar. Lo estimula a
moverse, a tomar los objetos que cuelgan
con sus manitos y lo mantiene protegido
en una superficie mullida. Este gimnasio**

puede armarse en casa y con poco dinero.
Sólo hace falta comprar una plancha de
gomaespuma de unos 4 ó 5 cm de espesor
para usar como colchoneta. Colocarle una
capa de guata y forrar la misma con un
género estampado con colores brillantes.
Si lo desea puede colocar el gimnasio
cerca de la ventana y poner debajo de ella
varios móviles y juguetes a la altura de
su cabeza y al alcance de sus manos.
De esta manera, pasará horas jugando
con los juguetes colgantes y practicará
la coordinación vista-mano.

De 4 a 6 meses:
un descubrimiento diario

El bebé
de cuatro meses

Tomar objetos con sus manos ya no es un misterio para él. ¡Por fin!… todos los intentos hechos el mes pasado no fueron en vano.

Manos y piernas en acción

Ahora, al estirar sus manitos para llegar al sonajero, logra acertar y consigue llevárselo a la boca. Esta conquista, por simple que parezca, significa un gran avance de coordinación motriz y visual para un bebé de cuatro meses.

Esta nueva habilidad le permite también tomar sus pies con las manos y mirarlos.

Gradualmente, las piernas realizan mayor cantidad de movimientos, los que son cada vez más vigorosos. A las pataditas del mes pasado se suma ahora la habilidad de cruzarlas entre sí.

Al ponerlo boca abajo, se sostiene con mayor firmeza sobre sus brazos extendidos y agrega un nuevo apoyo en esta posición: sus manos abiertas.

Todos los padres saben que no hay que dejar al bebé solo sobre la cama o en cualquier otra superficie elevada. No confíe en que el niño no se desplazará. El hecho de dar pataditas con fuerza lo ayuda, por ejemplo, a correrse de la cama o del cambiador. Es preferible llevarlo alzado, dejarlo en su cuna o colocarlo en una mecedora con cinturón de seguridad.

Gritos, risas y sonrisas

Comienzan las primeras carcajadas y risas con sonido. Se tienta cuando le hacen cosquillas y grita más fuerte que el mes pasado, no sólo por alegría, sino también para llamar la atención cuando se queda solo.

Empieza una etapa de mayor socialización en la que le gusta interactuar con los demás. Disfruta jugar con sus padres y quiere que le presten atención. Las sesiones de estimulación serán ahora mucho más participativas y demostrará su placer con risas y gorjeos.

Progresos... también en la visión

Su vista también se está perfeccionando: puede enfocar a una distancia de 90 cm y su campo visual se amplió a 180º, con lo cual puede observar y estar atento a todo lo que lo rodea.

Aunque distingue todos los colores, los que más le gustan son el rojo, el amarillo, el azul y el verde.

Si se lo coloca frente a un espejo, fija la vista con atención. Aunque no tiene conciencia de su imagen, se detendrá a observar con gran interés.

¡Cuántos descubrimientos!

También va a descubrir la ley de causa y efecto. Para ello convendrá tener varios juguetes los que, al apretarlos, harán ruido o elegir algún juguete con música que tenga un botón grande y que sea fácil de apretar para él.

CÓMO ESTIMULARLO

Cuchara

12 Ya que muy pronto comenzará a comer sólidos se le puede ofrecer una cuchara plástica para que empiece a familiarizarse con ella y la tome entre sus manos.

Risas y cosquillas

13 Constituyen un excelente ejercicio para sus pulmones y su circulación. Estas favorecen la respiración, aumentan el riego sanguíneo del cerebro y del resto del cuerpo.

Tacto

14 Las diferentes texturas que pueda tocar son otra forma de estimulación sensorial. Existen libros de tapas duras con texturas rugosas, suaves, aterciopeladas que pueden ser muy útiles, además de facilitarle la introducción al mundo de los cuentos. Otra opción es que usted le acerque objetos de diferente superficie y textura para que experimente con ellos. Por ejemplo, un pañuelo de seda, una toalla, un trozo de lana, una esponja, un durazno o una ciruela.

¿Dónde está?

15 Se trata de un juego fundamental para la estimulación del bebé que lo ayudará a resolver la angustia de la separación. Escóndase con sus manos y aparezca con la exclamación: "¡Acá está!", detrás de una puerta o de una cortina. A continuación, hágalo con él. Le fascinará que lo tapen con una mantita y luego reaparecer con la alegría que propone el juego.

¡A HACER GIMNASIA!

No olvide repetir las propuestas de los meses anteriores porque mantienen su vigencia durante todo el primer año. Durante este mes, además, podrá entrenarlo con los siguientes ejercicios:

- Acostado boca arriba, llevar sus brazos hacia los costados y, apoyando las palmas en cada uno de los codos, impulsarlos hacia la línea media del cuerpo.

🌀 *Tomándolo de sus brazos, a los costados del cuerpo, subir y bajar sus hombros.*
En la misma posición y, tomándolo por los codos, cruzar sus brazos delante del pecho y extender los brazos y sus manos hacia cada uno de los costados.
Subir una de sus piernas para que la rodilla toque su pecho. Repetir con la otra pierna.
Tomarlo de las manos y tirar suavemente para que se vaya incorporando hasta quedar sentado.

🌀 *Extender su brazo izquierdo hacia arriba y recostarlo de costado hacia ese lado. Después, sostener su hombro derecho con una mano y, con la otra, cruzarle la pierna derecha sobre la izquierda. Con un pequeño envión, continuar el giro hacia la izquierda hasta que quede boca abajo. Esta práctica irá fortaleciendo los músculos del cuerpo que intervienen en el gateo.*

🌀 *Acuéstese en el piso y coloque al bebé transversalmente sobre su abdomen. Este intentará desplazarse y será más fácil con la ayuda de un adulto que si está apoyado en el piso.*

🌀 *Colóquelo boca abajo varias veces al día. Es una posición que lo estimula a levantar* su cabeza y estirar los brazos, fortaleciendo los músculos implicados en el gateo.

ⓖ Tome al bebé bajo los hombros y apóyele los pies en el piso para que intente dar patadas impulsándose hacia arriba. Este ejercicio fortalecerá notablemente sus piernas.

ⓖ Coloque al bebé boca abajo con varios almohadones sobre su abdomen y déjelo en esa posición varios minutos todos los días. Se irá acostumbrando a la posición de cuatro patas y a los movimientos de rodillas que se utilizan en el gateo.

El bebé
de cinco meses

En esta etapa, el bebé controla perfectamente los movimientos de la cabeza. Estando boca arriba logra darse vuelta para quedar boca abajo y viceversa.

Comienza a sentarse... ¡y toca todo!

Con sus manos toma todo lo que encuentra a su alcance. Por ello hay que tener mucho cuidado y retirar broches, alfileres, clips, botones o cualquier otro objeto que pueda tragarse en un segundo, de su cercanía.

Algunos bebés ya pueden mantenerse de pie si se los sostiene bajo sus hombros gracias a la fortaleza de sus piernas. Sin embargo, no hay que forzarlos ya que es muy pronto para semejante esfuerzo. Sin embargo, la posición sentada comienza a ser habitual a esta edad y puede mantener la cabeza erguida.

El trípode

Algunos bebés ya saben hacer el "trípode":
pueden permanecer sentados con las
rodillas bien abiertas y las manos juntas,

**apoyadas en el piso frente a su torso. Este
es el primer paso antes de sentarse solos.
Generalmente, lo hacen cuando están en
el piso porque logran mayor estabilidad
que en superficies mullidas.**

El objetivo: aprender más y más

Se esfuerza en llamar la atención emitiendo sonidos y gritos o escucha en silencio las conversaciones de
los demás. Disfruta de la compañía y la necesita para
aprender a dialogar e interactuar.

Comienza a tirar objetos y mira para ver dónde están, dando un gran paso en la maduración cognitiva.

Continúa mirando sus manos y disfruta viéndolas
moverse. Este ejercicio es fantástico para perfeccionar su
motricidad fina.

A este movimiento se le agregan los pies: los mira
moverse asombrado. Cuando esté acostado boca arriba comenzará a tomarlos con las manos y llevarlos a la boca. Es
un ejercicio que le permite reconocerlos mejor.

Mamá, papá y los demás

En cuanto al aspecto socio-afectivo, a esta edad reconoce perfectamente la diferencia entre el rostro de su
madre, padre y demás integrantes de la familia. Presta

atención a las diferentes emociones que sus seres queridos expresan. Le llaman la atención la risa, el llanto, el estornudo, la tos.

Las emociones y el juego sensible son otras de las habilidades que es conveniente practicar con todos los integrantes de la familia y los amigos habituales de la casa. Esto enriquecerá sus recursos emocionales.

CÓMO ESTIMULARLO

Sentarse solito

16 Ayudar al bebé a que se incorpore y mantenerlo sentado unos minutos con almohadones en la espalda y a los costados. Hay que estar atento a si siente o no incomodidad porque quizás los músculos del torso no estén listos para esta postura.

Desnudo

17 Si el clima lo permite, déjelo un rato sin ropa y descalzo. Ponerlo sobre el piso es un excelente ejercicio de estimulación de sus movimientos. Además, se resbalará menos que si está vestido y con las medias puestas. El contacto de la piel con el suelo o con una manta le permitirá ir desarrollando la conciencia de su cuerpo y de sus partes.

18 Agudeza visual

Si bien es un experto enfocando a un metro de distancia, aún hay mucho por hacer por su vista. Muéstrele juguetes coloridos y acérqueselos lentamente a sus ojos hasta que estén a 15 cm de distancia. Luego aléjelos hasta el fondo de la habitación. Repita el ejercicio moviendo el juguete en diferentes direcciones (a los costados, a la derecha y a la izquierda).

19 Bollos de papel

Permitirle que haga bollos de papel no sólo mejorará sus habilidades manuales sino que también disfrutará el sonido. Es importante que sean papeles blancos ya que los impresos tienen tintas tóxicas y le mancharán las manos. También habrá que vigilar que no se los trague.

20 Rodar la pelota

Sentar al bebé en el suelo entre almohadones para que permanezca erguido si es que todavía no logra sentarse. Hacer rodar una pequeña pelota hacia él. Intentará agarrarla con las dos manos o adoptará la posición de trípode, apoyando las dos manos juntas en el piso. Este ejercicio es muy completo y le será útil para estimular su motricidad fina (coordinación de manos y vista), mejorar su posición estando sentando y prepararlo para el gateo.

6 LOS JUGUETES RECOMENDADOS

Los juguetes colgantes y móviles, tanto en el gimnasio como sobre su cuna, son una forma de continuar estimulando su motricidad fina. Acérqueselos a sus manos y a sus pies para que intente tomarlos con ellos.

El bebé
de seis meses

Se mantiene sentado con más solidez aunque todavía necesitará un apoyo en la espalda. Algunos bebés logran sentarse solos, ayudándose con sus manos.

Mamá: la preferida

Comienza a ser más selectivo en las relaciones sociales. Su madre es la preferencia absoluta, y a ella le siguen el padre y los abuelos. Estos no deberán sentirse desplazados si el bebé comienza a llorar desesperadamente reclamando a su mamá.

Está próximo a resolver el conflicto de separación, a partir del cual logrará individualizarse poco a poco. Por ello, su compañía y su presencia son fundamentales en esta etapa.

¡Upa, upa!

Una nueva característica deja boquiabiertos a los padres cuando lo hace por primera vez: tira los bracitos pidiendo que lo alcen o lo abracen.

Siempre en movimiento

Las manos manipulan objetos con mayor destreza. Al tomar juguetes practica el movimiento de "pinza gruesa", utilizando todos los dedos. Gracias a este logro podrá sostener solo la mamadera, aunque hay que tener cuidado de que no se atragante si la salida de líquido de la tetina es muy rápida.

Sus movimientos corporales comienzan a ser más intensos. Necesita moverse, no se queda quieto un segundo. Esta característica le permite madurar desde el punto de vista físico y también desde lo social y cognitivo porque desarrolla su inteligencia a través del estímulo motriz que es, además, una herramienta para comunicarse con su entorno.

El principio de la voluntad

El desarrollo cognitivo dará saltos cualitativos a esta edad, mucho más si se ha estimulado al bebé con los ejercicios de causa-efecto. Por ejemplo, si la música de un juguete le llamó la atención, repetirá esta acción con la intención de escucharla nuevamente. Este logro implica que está comenzando a tener conductas voluntarias y dirigidas hacia un determinado efecto. Recordemos que sólo tres o cuatro meses atrás estaba regido por movimientos y acciones reflejas.

Una evidencia que corrobora el desarrollo cognitivo es el tiempo que pasa en silencio observando todo lo que lo rodea. Logra concentrarse en determinados objetos o situaciones y procesa la información.

Las primeras papillas

Seguramente, el pediatra indicará que comience a alimentarlo con cuchara para que pruebe sus primeras papillas. Esto se debe a que el bebé de esta edad ya puede permanecer sentado y, aunque no pueda comer solo, sosteniendo la cuchara, puede mirarla, prestar atención y abrir la boca cuando se le acerca el alimento.

CÓMO ESTIMULARLO

Música clásica

21 Existen numerosos estudios sobre el efecto beneficioso que la música clásica produce en el sistema nervioso de los bebés. Las composiciones son más complejas que en la música popular, se puede apreciar el timbre de los distintos instrumentos de la orquesta, las diversas tonalidades y los arreglos musicales. Este tipo de música es estimulante en la formación de nuevos circuitos de neuronas.

Lenguaje adulto

22) Cuando llega la hora de la práctica verbal no hay que cometer el error de utilizar excesivos diminutivos. Debe aprender la palabra "perro", "papa", "agua", que son más fáciles de verbalizar que "perrito" o "agüita". Del mismo modo, se deben utilizar los términos reales porque los chicos pronunciarán, de manera espontánea, los que son de fantasía.

Imitación

23) Los bebés observan permanentemente a los demás y tratan de copiar las cosas que pueden hacer. Por este motivo, la imitación es una herramienta de estímulo muy valiosa para ejercitarlo en aquello que se lo quiere estimular. Los movimientos de manos y de dedos son un juego que disfrutan mucho y que los ayuda a ejercitar su motricidad fina y a prestar atención a sus propias manitos.

De 7 a 9 meses:
ponerse en
movimiento

El bebé
de siete meses

Permanecer sentado sin apoyo es uno de sus grandes logros. Esto le brindará mayor autonomía de movimientos en sus juegos pero, a la vez, más riesgo de caerse de costado si pierde el equilibrio.

Manos hábiles

Sus manos adquieren una nueva habilidad de motricidad fina: la pinza. Sostendrá un juguete utilizando el pulgar y otro de los dedos. Y luego lo pasará de una mano a la otra. Su curiosidad aumenta con respecto al espacio, mirando detenidamente los objetos y las cosas que vuelan o se mueven. Se entretiene tomando los juguetes entre sus manos y los irá dando vuelta para explorarlos. Además, golpeará los juguetes contra la mesa o el piso.

El inicio del gateo

Algunos bebés empiezan a gatear o a reptar y otros comienzan a pararse, sosteniéndose de muebles. Hay que estar muy atentos a todos sus movimientos ya que, al estar cada día más activo, mayor es el riesgo de golpes y caídas.

Si intenta gatear o reptar, hasta que sus brazos y piernas dominen el movimiento, es común que se resbale, cayendo con la nariz o el mentón en el piso. Si trata de incorporarse o levantarse tomándose de los muebles, también está presente el riesgo de caídas o de golpes en la cabeza contra los bordes de las mesas y sillas.

Durante esta etapa, hay que evitar el uso de manteles, carpetas y caminos de mesa. En un descuido, el bebé se tomará de estos elementos para pararse y, al tironear, caerá todo sobre él.

No hay que preocuparse si el niño no se traslada. Muchos chicos pasan directamente a la etapa de la marcha cerca del año sin haber gateado nunca. Otros inclusive no reptan sino que se trasladan de cola, sentados sobre el pañal e impulsándose con las piernas, a modo de remo.

Sus piernas, a fuerza de tantas patraditas en los últimos meses, están fortalecidas. Si se lo ayuda a pararse, podrá sostenerse de pie. Unos pocos bebés podrán hacerlo solos. Sea como fuere, es conveniente chequear con el pediatra si el bebé ya adquirió la postura de espalda correcta como para que practique pararse y dar sus primeros pasos.

Ya "habla" y recuerda

Parlotea incorporando nuevos sonidos en forma de vocablos que repite incansablemente.

Su capacidad de memoria mejora día a día. Por eso es conveniente continuar con la paciente tarea de nombrar todas las cosas, incluso su nombre. Aunque parezca que no comprende nada, su cerebro registra y almacena todo en su memoria. Si le quedan dudas, mencione su nombre y verá cómo gira inmediatamente la cabeza.

Por sí mismo

La posibilidad de gatear o reptar le permite tener una participación más activa en los movimientos de la casa. Ya no espera a que le alcancen los juguetes: va a buscarlos y elige cuál quiere.

CÓMO ESTIMULARLO

Muecas

24 Ubíquese frente a sus ojos. Haga gestos con la boca, los ojos, levante las cejas y frunza el ceño. Le encantará que le hagan morisquetas e intentará copiarlas.

Lateralidad

25 Como puede usar las dos manos al mismo tiempo, ofrézcale varios juguetes y trate de que tome uno con cada mano. O mejor aún... juguetes complejos, por ejemplo, un cubo con bolsillos o elementos que hacen ruido. Con una mano, sostendrá el cubo y, con la otra, podrá explorar los objetos. Gracias a esta tarea, poco a poco irá definiendo su lateralidad. Es decir, si será diestro o zurdo. Este es un proceso que debe surgir espontáneamente, sin la intervención adulta.

¡Bravo!

26 Ya está apto para comenzar a aplaudir. Además de disfrutarlo, será una tarea que le permitirá estimular el desarrollo de la coordinación de sus manos. Elogie cada uno de sus logros con un "ibravo!" y apláudalo. Además de incentivar la imitación del movimiento estará fortaleciendo su autoestima.

Causa-efecto

27 Encender y apagar la luz. Subir y bajar el volumen del equipo de música. Abrir y cerrar la puerta con la manija. Son acciones para mostrarle detenidamente y ayudarlo a continuar desarrollando la relación causa-efecto.

¡A HACER GIMNASIA!

Acuéstelo en la cuna, boca arriba, con los pies descalzos. Acérquele globos, pelotas livianas o peluches para que los patee. Además de sentir las distintas texturas

en sus pies, fortalecerá las piernas y
ejercitará la coordinación de las mismas.

◉ Para mejorar la tonicidad de los brazos
y proporcionarle mayor fortaleza en
el gateo puede practicar la carretilla.
Con el bebé boca abajo, levántele
las piernas para que quede sostenido
de sus brazos. Anímelo a que dé pasos
con las manos. Es conveniente realizar
este ejercicio en la cama, para evitar
accidentes y golpes en la nariz.

LOS JUGUETES RECOMENDADOS

Los juguetes seriados como los cubos
de colores de distintos tamaños o piezas
encastrables de diferentes formas
geométricas son elementos que ayudarán
a que el bebé vaya construyendo el
concepto de clasificación. Aunque es muy
pequeño ya puede ir familiarizándose con
los colores similares y las formas
geométricas correspondientes.

El bebé
de ocho meses

La inteligencia propiamente dicha se conoce a través de la intencionalidad. Es decir, de acciones que el bebé realiza voluntariamente. A partir de los ocho meses, comienzan las verdaderas manifestaciones de su actividad cognitiva e intelectual. Buscará concretar objetivos no tan inmediatos.

Jugando con los objetos

Se trasladará gateando o reptando hasta alcanzar un objeto que está fuera de su alcance, cuando antes se contentaba sólo con lo que tenía a su paso.

Le encanta tirar los objetos desde su silla de comer y se asoma para ver dónde cayeron. Mira todo a su alrededor y se da vuelta buscando cosas que usó anteriormente y que perdió de vista.

¡A moverse sin parar!

Su sentido del equilibrio cuando está sentado avanzó notablemente: puede inclinarse hacia adelante y a los costados para alcanzar cosas alejadas.

Continúa intensamente con la práctica de la marcha. Si antes se paraba, ahora lo hace con mayor equilibrio. Algunos bebés lo hacen sosteniéndose de una sola mano aunque lo más normal es que esto ocurra en un par de meses.

Algunos bebés comienzan a pararse, agarrándose de los barrales de la cuna y dando grititos de alegría.

Todavía no dice "mamá" y "papá"

Vocaliza aumentando su repertorio de sílabas. Repiten ma, pa, ba, ta. Esto no significa que esté diciendo mamá o papá. Falta un poco para este gran paso...

Parloteos frente al espejo

Frente al espejo, al ver su propia imagen, se habla a sí mismo o a la persona que tiene enfrente.

La angustia del octavo mes

La angustia del octavo mes de separación puede presentarse en su etapa más crítica. Si el bebé llora desconsoladamente cuando mamá no está o frente a la presencia de extraños, es importante saber que se trata de una reacción normal y transitoria.

Probablemente, algunos bebés reaccionen así con personas cercanas, como abuelos, vecinos o amigos. Sólo parece consolarse con su madre. Durante esta crisis, los especialistas aconsejan mimarlo mucho. Muy pronto resolverá el conflicto acerca de lo que significa descubrir que él y su madre son dos personas independientes.

CÓMO ESTIMULARLO

Intercambio

28 Siéntese en el suelo frente al bebé con las piernas abiertas. Haga rodar una pelota hacia él para que la reciba. Poco a poco, entenderá la consigna y comenzará él también a dársela a usted.

Enchastres con la comida

29 Hay que permitir que agarre la comida con las manos y con una cuchara extra. No para que logre comer solo, ya que recién podrá acertar la comida con el cubierto y luego en su boca a partir de los 15 a 18 meses, sino para que se familiarice con los alimentos.

Cajas de cartón

30 Serán útiles para que coloque otros juguetes. Déjelas a su alcance para que pueda buscar los juguetes que guardó antes. Este ejercicio estimulará el sentido de permanencia de las cosas, uno de sus primeros logros inteligentes.

Rataplán plán plán

31) Podrá armar una improvisada batería con jarros metálicos, cucharas de madera y utensilios de cocina. Permítale que juegue haciendo ruido e intentando acertar en sus golpes. Mejorará notablemente su coordinación vista-mano y la de todo el cuerpo en general.

Al agua pato

32) Disponga de un tiempo extra para el baño para jugar con él, salpicarlo, sumergir juguetes flotantes y que vea cómo suben nuevamente a la superficie. Ofrézcale varios recipientes plásticos para que, poco a poco, aprenda el sentido de capacidad al llenarlos con agua y después vaciarlos.

Muuu y guauu

33) Los sonidos de los animales son una de las primeras palabras o fonemas que pronunciará. Aun antes de decir "perro" o "vaca" ya estará diciendo "muuu" o "guau-gua" cuando vea alguno de estos animales.

¡A HACER GIMNASIA!

◎ Sosténgalo por las axilas y permita que salte, encogiéndose en cuclillas. Después deje que salte con el envión que sabe aplicar a sus piernas.

◎ Sosténgalo bajo los brazos juntando usted sus manos hacia el pecho del bebé, de manera que queden sus piernas colgando. Distribuya varias pelotas en el piso y corra hacia ellas tratando de que las patee.

◎ Permita que esté en el piso el mayor tiempo posible para ejercitar sus movimientos y, si el clima lo permite, que sea descalzo. El contacto de la planta y dedos del pie en el suelo mejorará el agarre y la conciencia de los movimientos de la marcha. De lo contrario, será preferible que esté calzado en lugar de tener sólo medias porque el riesgo de resbalones y golpes es muy grande.

◎ Si aún no gatea, colóquelo en posición de cuatro patas sobre una colchoneta. (No utilice una manta porque la misma no ofrece resistencia y se resbalará.) Gatee a su lado, mostrando el movimiento de un brazo, después el avance de la rodilla contraria y así sucesivamente.

⑥ Siente al bebé en la cuna y muéstrele objetos a cierta altura para incitarlo a que se pare sosteniéndose de los barrotes.

⑥ Cuando el bebé esté sentado en el piso, tómelo de ambas manos para ayudarlo a pararse. A continuación, trate de que vuelva a sentarse. Repita varias veces este ejercicio que, además de fortalecer sus piernas, le ayudará a mejorar el sentido del equilibrio.

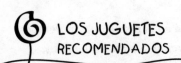

LOS JUGUETES RECOMENDADOS

Los instrumentos musicales como los sonajeros, los llamadores de ángeles colgados a su alcance o los tambores plásticos son algunas de las opciones más recomendables para esta edad.

También se pueden hacer maracas improvisadas colocando arroz o porotos dentro de botellitas plásticas con tapas a rosca bien ajustadas. De esta forma, toda la familia puede participar en una sesión musical moviéndose, cantando y tocando instrumentos. En pocos meses, también podrá soplar, para lo cual un flautín plástico, una armónica o un pito de cotillón serán válidos para estas sesiones.

El bebé
de nueve meses

Los progresos en la comunicación son sorprenden-
tes y el bebé se hace entender notablemente. Utiliza los
gestos, los grititos, la falsa tos, el parloteo o simplemente
señala lo que quiere que le alcancen.

Todavía no habla, pero...

Los sonidos que emite son más articulados. Cada
vez está más cerca de pronunciar su primera palabra. Esta claridad en la comunicación significa un gran paso en
sus funciones intelectuales.

Aunque todavía no hable, reconoce perfectamente
el significado de muchas palabras. Por eso es importante no dejar de hablarle y utilizar siempre un lenguaje
adulto.

El parloteo es ahora más duradero. Puede estar varios minutos balbuceando y repitiendo sílabas. Cuando
vocalice durante un largo rato parecerá que está cantando. Esto es un buen signo ya que está ejercitando sus
cuerdas vocales y preparándose para hablar.

Esta práctica se inicia como una forma de comunicación voluntaria ya que responderá con sonidos cuando

se le hable. Es también un monólogo que el bebé producirá cuando se quede solo, como una forma de acompañarse a sí mismo.

¡Cuántas emociones!

Sabe responder al saludo y dice "hola" y "chau" con la manito. Es conveniente despedirse siempre de él. De lo contrario, es probable que se quede angustiado buscando por la casa a la persona que se fue. Desde el punto de vista social y afectivo su maduración es también muy notable. Se da a entender de muchas formas. Tira los bracitos para que lo alcen o para demostrar su afecto a sus seres queridos.

Aparece por primera vez la empatía emocional, por la cual se "contagia" de las emociones ajenas. Llora si ve a alguien llorar o se ríe al ver a otros hacerlo. Este es otro gran paso en su madurez emocional.

Nuevas aptitudes... y actitudes

El juego de dejar caer los objetos para ver qué ocurre con ellos da lugar a una nueva versión más sofisticada: esperará a que se lo alcancen en un juego de comunicación que, aunque resulte cansador para el adulto, es muy estimulante para el bebé.

Si aún no lo hizo, comenzará a pararse solo, sosteniéndose de los muebles o de los barrotes de la cuna. Es el primer paso antes de comenzar a caminar.

Reconoce los preparativos para salir a pasear y se pone muy contento ya que la calle es una fuente de aprendizaje permanente para él.

Sospecha ciertas acciones que estarán por ocurrir y manifiesta su agrado o desagrado. Por ejemplo, llora al ver a su madre o padre que se preparan para salir.

¿Problemas para dormir?

Algunos bebés tienen problemas de sueño. Esto les exigirá a los padres tener paciencia, calmarlo y mimarlo, siempre dentro de su habitación. No hay que caer en la tentación de llevarlos a su cama para poder dormir. Con firmeza y una conducta amorosa lograrán que todo vuelva a la normalidad.

CÓMO ESTIMULARLO

Tomá y te doy

34 Los juegos de intercambio –por ejemplo, tirarle una pelota e insistirle para que nos la devuelva–, son ideales para esta etapa. Lo estimulan en el aprendizaje de los códigos de comunicación con los demás. Además, lo entrenan en la comprensión de órdenes simples.

Álbum de fotos

35 Le encanta mirar imágenes familiares. Por ello se recomienda armarle su propio álbum de fotos para que manipule y utilice a su gusto.

¿Me alcanzás?

36 Para entrenarlo en la cooperación y en la respuesta a órdenes sencillas, se le puede pedir que nos alcance algún objeto que esté a su lado. Disfrutará de la sensación de sentirse útil cuando usted se lo agradezca y lo felicite.

Torres

37 Aunque todavía el bebé no es capaz de armar construcciones o apilar cajas sí puede derrumbar las que usted haga. Apilar objetos frente al bebé para que los tire es una excelente forma de estimular el sentido de estructura.

Carrera de obstáculos

38 Para mejorar aún más su gateo y estimular su inteligencia hay que recordar el juego del túnel e incorporar algunos obstáculos en su camino. Por ejemplo, una montaña de almohadones o cajas de cartón le ayudarán a resolver la salida del improvisado laberinto.

39) En el momento de la comida es conveniente dejarle a su disposición su vaso, la mamadera de agua o distintas porciones de comida que pueda tomar con las manos. De esta forma, el bebé puede elegir lo que desea ingerir y esto constituye una forma de estimular su autonomía.

¡A HACER GIMNASIA!

○ *Para que el bebé practique ponerse de pie, el adulto puede sentarse junto a él en la cuna y luego, tomarse de los barrotes, pararse y bajar varias veces diciendo como en una clase de gimnasia "arriba y abajo". Es probable que él comience a hacerlo ya que a los bebés les encanta imitar a los adultos.*

○ *Aprovechando la capacidad de imitación que tienen los bebés de esta edad, se puede realizar ejercicios sencillos en el suelo. Acuéstese y tome sus pies con las manos. Tomado de una silla, póngase en cuchillas y levántese varias veces. A continuación, tómese con ambas manos y levante una rodilla para que el bebé intente hacer lo mismo. En este ejercicio ayúdelo a que él adopte la misma posición frente a un mueble sólido.*

De 10 a 12 meses:

más y más
independientes

Capítulo 6

El bebé
de diez meses

Aunque las expectativas familiares estarán puestas en cuándo comenzará a caminar, el bebé está realizando otros importantes avances madurativos.

Por ejemplo, estando parado puede sentarse solo sin perder el equilibrio. Para poder lograrlo, primero apoya las manos en el suelo y después baja la cola hasta el piso con las piernas rectas.

Puede caminar sosteniéndose de los muebles, del cochecito y de las mesas con rueditas. Continúa perfeccionando el gateo y logra andar cada vez más rápido.

El cerebro, cada vez más complejo

Su memoria e inteligencia se desarrollan notablemente. Como ha recibido estimulación en los meses anteriores puede reconocer ciertas partes del cuerpo y señalarlas cuando se las nombra.

Domina perfectamente el concepto de permanencia del objeto, lo que significa un gran paso en el desarrollo de su inteligencia. No sólo descubre los juguetes que acaba de esconder bajo una manta sino también los que dejó olvidados días atrás. Recuerda perfectamente muchos episodios recientes.

Reconoce mejor el espacio, lo que le permite tener una mejor coordinación cuerpo-vista para comenzar a caminar solo. Estará largo rato entretenido colocando juguetes dentro de recipientes y cajas de distintos tamaños.

Su capacidad de concentración está más agudizada y puede atender dos cosas a la vez. Esto le permite una autonomía de movimientos notable. Por ejemplo, caminar sostenido de una mano y señalar lo que le gusta o tocar cosas con la mano libre.

Manos inteligentes

Las manos dominan la pinza fina, utilizando el pulgar y el índice, lo que le permite tomar con más precisión los objetos pequeños. También mejora, día a día, su coordinación y la habilidad para realizar acciones independientes con ambas manos. Por ejemplo, mientras una mano sostiene una botella, con la otra intenta enroscar una tapa.

Ya nos comunicamos

Conoce perfectamente el significado de las palabras papá, mamá, papa, agua, nene, abu, y de algunas partes del cuerpo. Esto depende de la estimulación que haya recibido en los meses anteriores. Además, entiende las prohibiciones y los alertas de cuidado.

Haciéndose entender

Su capacidad de relacionarse está muy desarrollada. Se comunica claramente con gestos y expresiones. Grita de alegría o de enojo, llora cuando no quiere algo o no logra alcanzarlo, saluda con la mano, comienza a aplaudir cuando se festeja un logro y pone la mejilla para que le den un beso. Disfruta plenamente de las alabanzas a cada uno de sus logros y de las demostraciones de amor que recibe.

Ayudando a mamá y a papá

En estas semanas, sorprenderá a sus padres cuando comience a imitar las tareas de limpieza de la casa. Tomará un trapo y comenzará a fregar el piso o la mesa. Quiere participar en los movimientos de la casa e intentará imitar las diferentes tareas que hagan los adultos. Por ello hay que ser muy cautelosos con lo que se haga o diga delante del bebé y habrá que desarrollar ciertas estrategias para prevenir accidentes. Por ejemplo, los bebés tienen especial atracción por los cables, los enchufes y las herramientas.

Es el momento de extremar las medidas de seguridad de la casa. Un bebé que se para llega a muchos lugares de riesgo, por ejemplo, el borde de la mesada de la cocina donde puede haber elementos cortantes, cacerolas con alimentos calientes y platos o fuentes de cerámica

pesada que le pueden caer encima cuando comience a
tantear con sus manos las superficies de las mesas.

CÓMO ESTIMULARLO

¿Dónde está la cabeza?

40 Es probable que reconozca las partes de su
cuerpo y las señale cuando se las nombra. En
el momento del baño o cuando se lo cambia se
puede continuar con el ejercicio de ir nombrando cada
parte y repetirle la palabra.

¡Púmbate!

41 Los sonidos y las onomatopeyas son una forma
muy divertida y eficaz para estimular su lenguaje. Se puede acercar un globo a su cabeza y gritar:
"boom". Es muy probable que haya experimentado un re-
ventón y relacionará el sonido con la acción. En poco
tiempo, repetirá el sonido y jugará a que se cae. Ante estos golpes, los adultos le dirán "púmbate" y todos aquellos sonidos que se les ocurran.

Sílabas nuevas

42 Es bueno pronunciar para él sílabas que aún
no utilice, por ejemplo, que contengan vocales

como la i o la u, si aún no las incorporó en su repertorio. Del mismo modo que consonantes más complejas como la f o la r.

Yo también

43 Permítale que realice alguna tarea cotidiana. El bebé de esta edad está desarrollando notablemente su sociabilidad y quiere tener una participación más activa. Probablemente haya comenzado a tomar trapos con los que repasar el piso, la cocina, los muebles. Aprovechando esta necesidad de intervenir en las actividades adultas, se le puede pedir que ayude al adulto que lo está vistiendo. Decirle, por ejemplo: "arriba los brazos", cuando se le coloca una camiseta o un suéter, o "dame el pie" para ponerle un zapato.

Cajas y cajitas

44 Ofrézcale recipientes y juguetes de distintos tamaños ya que necesita experimentar con la capacidad de los espacios huecos y probar hasta dónde se pueden llenar.

Sabores y texturas

45 Hay que permitirle tocar, jugar y saborear la comida de muchas maneras. Es necesario recordar que, en unos meses más, pueden comenzar los problemas para alimentarlo porque se rehúsa a comer. Por eso éste es el momento indicado para aprovechar su docilidad y permitirle que descubra nuevos sabores, texturas y colores.

¡A HACER GIMNASIA!

◉ *Cuando el bebé pueda pararse solo y para que mantenga el equilibrio necesario para la marcha, tomarlo de ambas manos y, con mucho cuidado, soltarlo mientras permanece a su lado. Repetir este ejercicio varias veces, dejándolo sin apoyo por unos pocos segundos. Si el bebé se resiste o se angustia no es aconsejable insistirle para que lo haga.*

◉ *Mientras el bebé permanece parado sosteniéndose de una mesa, tómelo de la cintura y trate de que levante un pie para que quede parado de una sola pierna. Estimulará su sentido del equilibrio.*

◉ *Sostenerlo de la cintura e intentar que patee una pelota con un pie. De esta forma, ejercitará el movimiento de la marcha.*

LOS JUGUETES
RECOMENDADOS

Durante este mes, se le pueden ofrecer al bebé cajas de cartón sólidas para que las apile unas sobre otras o sets de juguetes en diferentes tamaños en escalera. En estos dos tipos de juguetes es conveniente que el adulto juegue con él, ayudándolo a formar las torres que, más tarde, se entretendrá en tirar abajo.

Las pelotas mejoran su desplazamiento independiente al intentar hacerlas rodar gateando o impulsándolas con el pie, mientras camina tomado de muebles. Son un juguete excelente para desarrollar su habilidad manual y para favorecer su imaginación.

Los llamados juguetes de arrastre, como animalitos con ruedas, autos con una soga en un extremo o arrastres con palo, lo estimulan en la marcha y el avance a través de diferentes superficies.

El bebé
de once meses

El gateo y la caminata, sostenido de puntos de apoyo, ya no son un secreto a esta edad. Algunos bebés pueden caminar solos, aunque la mayoría lo hará alrededor del año y otros pocos entre los 12 y 14 meses.

Una nueva conquista

Su nueva conquista será poder pararse solo desde una posición sentada. Para lograrlo apoyará ambas manos abiertas en el suelo y, con ellas, se impulsará para levantar la cola hacia arriba y se incorporará con aire de triunfo.

Permanente imitador, se aplaudirá a sí mismo cada vez que realice éste y otros actos. Sabe que está creciendo y que estos logros diarios dan alegría a sus padres.

Aún carece del sentido del peligro y, aunque se ha dado varios porrazos en sus intentos de caminar solo, cuando toma coraje anda sin parar con el andador o haciendo rodar el cochecito. Esto demanda de los padres un cuidado permanente y extremar las medidas de seguridad en la casa y en la calle.

Puede haber aprendido a bajarse de una cama o de un sofá gateando hacia atrás. Si aún no lo hace, es el momento de enseñarle a hacerlo.

¡A comer!

Le encanta comer solo utilizando los dedos y es bueno permitírselo ya que es el primer paso antes de que pueda comer con los cubiertos. Es conveniente que tenga una cucharita plástica extra para él en el momento de la comida, para habituarse a su uso, mientras un adulto lo alimenta.

Nuevas formas de comunicación

Comienza a tener sentido del humor con bromas y juegos. Pocas cosas disfruta tanto a las carcajadas como ver a los adultos haciendo de payasos.

Puede comenzar a pronunciar alguna palabra de una o dos sílabas con significado e intencionalidad como pan, papa, papá, mamá. Aunque la mayoría de los bebés lo hacen después del año, conviene que la estimulación esté presente. Para ello es recomendable hablarle y explicarle lo que se está haciendo.

El pequeño expedicionario

Otro logro cognitivo es el uso de diferentes elementos para lograr un determinado objetivo. Por ejemplo, utiliza su carrito para caminar y llegar hasta un lugar determinado o acerca una caja a la biblioteca para pararse sobre ella a modo de tarima y alcanzar un estante donde hay algo que no le dejan tocar. Dado que se inicia la etapa trepadora hay que enfatizar los cuidados en el hogar y colocar en lugares altos los elementos más riesgosos. Si antes llegaba a una altura de más de un metro con sus bracitos en alto, ahora que puede treparse a un sofá o una silla podrá alcanzar los elementos a más de un metro y medio del piso.

Los bordes y las aristas de las mesas son lugares comunes con los que se golpea la cabeza cuando comienza a caminar y lo seguirán siendo hasta los dos años. Estos golpes parecen ser inevitables, aun más si la casa es pequeña o en aquellos espacios reducidos como los pasillos. Se pueden improvisar pequeños almohadones triangulares con goma eva o gomaespuma para colocar en las esquinas de las mesas. De esta manera se topará con ellos sin lastimarse ni golpearse.

CÓMO ESTIMULARLO

¿Me das?

46) El bebé de once meses comprende y responde a indicaciones simples. Ejercitarlo en la respuesta de órdenes es una excelente técnica de estimulación de sus capacidades intelectuales y sociales. La consigna: "¿Me das...?", extendiendo la mano hacia él lo llevará a entregar el juguete que tiene. Más adelante, comenzará a colaborar alcanzando lo que se le pida.

47

El juego del escondite continúa siendo una forma de estimulación en diversos sentidos. Si antes era fundamental para superar la angustia de separación y desarrollar el sentido de permanencia del objeto, ahora también será útil para estimular su memoria.

¡A HACER GIMNASIA!

Aprovechando la capacidad de imitación que tienen los bebés de esta edad, será divertido y enriquecedor para su desarrollo motriz ponerlo a hacer gimnasia con su mamá.

- *Se pueden realizar ejercicios sencillos en el suelo, lo que mejorará la tonicidad de los músculos que intervienen en la marcha. Para ello, acuéstese y tome sus pies con las manos y dé patadas sin soltarlos.*

- *Tomada de una silla o de una mesa, póngase en cuchillas y levántese varias veces. A continuación, tómese con ambas manos frente al mueble y levante una rodilla de costado para que el bebé intente hacer lo mismo.*

Aliéntelo a que levante los brazos, se agache en cuclillas, se acueste y se vuelva a parar. Pídale que levante las piernas mientras permanece acostado boca arriba y, estando boca abajo, que levante la cabeza y estire bien los brazos. Disfrutará con alegría de estos movimientos y un gran aplauso final no vendrá nada mal.

LOS JUGUETES RECOMENDADOS

<u>**Elementos para empujar**</u>**: Cajas de cartón, su cochecito de paseo, un andador o mesas rodantes son elementos que lo fascinarán, además de fortalecer sus piernas y mejorar su sentido del equilibrio antes de dar sus primeros pasos sin ayuda.**

<u>**Encajables**</u>**: Ya está en condiciones de manipular juguetes de encastre. Por ejemplo, rompecabezas simples de cuatro a seis piezas, bloques de construcción grandes –se venden bloques de encastre para bebés que son similares a los ladrillos plásticos pero de mayor tamaño– y figuras geométricas para encajar en cubos.**

Juguetes de imitación: Los teléfonos plásticos, las herramientas de juguete, los volantes de autos con sonidos y colores, los peines o los cubiertos plásticos son algunas propuestas para el bebé que comenzó a imitar las actividades de los adultos. Estas le permiten desarrollar su coordinación, la motricidad fina y comenzar a incursionar en el divertido y enriquecedor juego de roles.

El bebé
de doce meses

Al cumplir su primer año, muchos bebés dan sus primeros pasos solos. Si aún no lo hacen, esto no es motivo de preocupación. El momento de dar el primer paso depende de múltiples factores y no sólo de su grado de maduración psicofísica. Generalmente, los bebés más tranquilos caminan después que los más inquietos, así como los más gorditos tardan un poco más que los flacos.

Si aún no camina solo, es probable que ya pueda sostenerse de pie y sin puntos de apoyo.

¿Cuándo comienza?

No existen parámetros que determinen una edad adecuada para comenzar a caminar. Lo más importante es estimular esta actividad pero sin forzar la voluntad, los límites y las necesidades de cada bebé. Es bueno animarlo a pararse y dar pasitos, sosteniéndolo con las manos cuando tenga ganas de hacerlo o, si pide un juguete, ponérselo lejos de su alcance para que se esfuerce en conseguirlo.

Ya se trate de caminar solo, con apoyo o de las manos de un adulto, este logro significa para el bebé la conquista de su autonomía y él lo sabe.

¡No deja de moverse!

Comienza a mostrarse más inquieto e interesado por lo que lo rodea. No sólo quiere tocar todo sino que además pretende treparse y alcanzar los objetos de los lugares a los que no puede acceder. Irá señalando las lámparas colgadas del techo, los móviles, los estantes de la cocina o la biblioteca.

Cuando el bebé finalmente logre caminar solo se produce un efecto notable en su maduración: al tener sus manos libres en la marcha adquirirá progresos notables gracias a las cosas nuevas que puede aprender a realizar.

Comprende todo lo que le dicen

Si escucha que nombran a mamá, papá o algún otro integrante de la familia, lo busca con la mirada. Comprende el significado de muchas palabras y entiende casi todo lo que se le dice. Esta capacidad cognitiva es independiente de la capacidad del habla.

Existen muchos bebés que todavía no hablan pero que pueden tener una excelente comprensión de lo que se les dice y se hacen entender de muchas otras maneras.

¡A construir!

Comienza a realizar sus primeras construcciones con bloques plásticos, encastrando dos o tres piezas. Es probable que ahora no sólo disfrute tirando las torres de apilables que le armaban, sino que sea él mismo quien intente apilar dos o tres cubos o cajas. Continúa entreteniéndose largo rato colocando objetos dentro de recipientes y cajas vacías.

Paso a paso, conozco mi cuerpo

El reconocimiento de su cuerpo es otro aprendizaje complejo que el niño irá adquiriendo paulatinamente. Después del primer año de vida, el bebé logrará coordinar gran parte de sus movimientos corporales; pero antes de que eso ocurra, necesita practicar y experimentar.

Se trata de un aprendizaje paulatino que comienza con las partes más cercanas a la cabeza. Durante el primer mes de vida deberá coordinar mejor los músculos del cuello. Alrededor de los 2 a 4 meses deberá sumarle un mayor dominio de los músculos del tronco, los que junto con los del cuello, le permitirán sostener su cabeza erguida. Más adelante se irán incorporando los brazos y las manos. En esta forma progresiva, el bebé aprenderá a integrar sus diferentes partes del cuerpo hasta llegar a controlarlo de manera voluntaria.

¿Dónde está la pelota?

48 Tirar una pelota hacia arriba y animarlo a que vaya a buscarla, utilizando la frase como puntapié inicial. Repetir la misma operación nombrando otros objetos. De esta manera, se estimulará su lenguaje y sus habilidades motrices y cognitivas.

Asociación de colores

49 Las figuras geométricas de los juguetes para encastrar son una excelente herramienta para enseñarle los colores. Aunque no podrá identificarlos, empezará a clasificar los que sean de un mismo color. El adulto puede acomodar las piezas similares, mezclarlas a continuación y ayudarlo a que él lo haga.

Figuras geométricas

50 Un ejercicio muy útil para desarrollar su habilidad para reconocer figuras es cortar en diferentes papeles y tamaños, círculos, cuadrados y triángulos. A continuación, dibujar un círculo, un cuadrado y un triángulo sobre una cartulina blanca y enseñarle a colocar las figuras recortadas en el lugar correspondiente de la cartulina. Es notable lo rápido que aprenderá a ubicarlas correctamente.

El lenguaje:
un tema aparte

CAPÍTULO 7

Enseñarle a hablar

Aunque los bebés comienzan a pronunciar sus primeras palabras con sentido entre los 11 y los 18 meses de edad, la estimulación del lenguaje comienza desde los primeros días de vida, cuando se les empieza a hablar. De esta forma, se establece una permanente comunicación con el bebé. Esta costumbre del diálogo temprano, en la que algunas personas se sienten extrañas al hablarles a un bebé que aún no entiende ni comprende, es una excelente forma de animarlo a que pronuncie los primeros balbuceos, fundamentales para ejercitar el desarrollo del habla.

En cuanto a la comprensión de las palabras, en el paulatino desarrollo de su cerebro, los significados comienzan a grabarse en su intelecto. Y, al cabo de diez u once meses, los padres descubren que, sorpresivamente, el bebé comprende casi todo lo que se le dice.

¿Cuándo comienza a incorporar los significados? No existe una respuesta cabal a este interrogante pero lo cierto es que los bebés asimilan nuevas experiencias y aprenden con una rapidez asombrosa. Esto quedará demostrado cuando sean capaz de expresarse con gestos de su cara, señalando con el dedo, con grititos o por medio del llanto.

¿Cómo hablarle al bebé?

El único lenguaje que se puede utilizar con los niños es el mismo que utilizamos con los adultos. Este es un consejo en el que coinciden pediatras y psicólogos. Los bebés espontáneamente comenzarán a decir "aba" en lugar de "agua", o "babau" en lugar de perro, sin que se le hayan enseñado esos términos infantiles. Por ese motivo no es necesario hablarles en media lengua sino utilizando los términos correctos.

En los primeros meses de vida hay que murmurarles de manera pausada, marcando las sílabas y gesticulando con la boca, mientras se lo mira fijamente a los ojos para captar su atención. El bebé disfrutará plenamente de estos diálogos y mucho más si es la mamá la que le habla de esta manera, con tanta dedicación. Es probable que este ejercicio, en poco tiempo, lo incite a mover los labios y que, un tiempo después, logre producir sonidos.

No hay que olvidar el aspecto cognitivo del lenguaje. Es beneficioso, además de hablarle, señalar cada cosa que se nombre. Durante el baño, tocar su panza y pronunciar la palabra. Frente al espejo, señalar al bebé o decir su nombre.

Teniéndolo en brazos mientras se da un paseo, señalar lo que se ve a su paso. Un árbol, un pájaro, un perro, una pelota o la luna son términos cuyo significado y sonido está asimilando permanentemente.

El lenguaje tiene, además, una relación directa con la maduración cognitiva. Por eso el estímulo del habla debe comenzar antes de que pueda pronunciar palabras. La mayoría de los bebés ya conocen el significado de algunas palabras antes del primer año de vida.

Del balbuceo a su primera palabra

Los balbuceos y gorjeos comienzan a las pocas semanas de vida, haciéndose cada vez más definidos y voluntarios hacia los seis meses. Las primeras sílabas aparecen entre los cinco y nueve meses. En todos los casos se trata inicialmente de sonidos sin sentido. Aun cuando repiten seguidamente una misma sílaba como da, pa, o ma –algo que hace sentir orgullosos a los padres apresurados por escuchar papá o mamá– no están hablando intencionalmente, sino ejercitando sus cuerdas vocales.

Entre los 10 y 14 meses comenzarán a pronunciar su primera palabra intencional y con sentido. Algunos bebés empiezan a hablar antes que otros. Unos pueden utilizar sílabas que contengan únicamente la "a" porque les resulta difícil pronunciar la "i" o la "u" y otros mostrarán un repertorio de sonidos más variado.

No hay parámetros fijos que determinen cuándo debe comenzar el inicio del habla ni referencias respecto al nivel cognitivo que alcanza el niño que habla o el que aún no lo hace.

Estimulando el habla

Cuentos

La lectura de libros infantiles con dibujos que reconoce y señala es una excelente forma de estimular la pronunciación de todo lo que ve. Es necesario leérselo repetidamente. (Es muy probable que tenga un libro preferido que quiere que le lean noche tras noche.) Además, es conveniente repetir las palabras más sencillas para que las memorice y pronuncie cuando esté listo.

Mi mano y mi pie

"¿Dónde está la panza del bebé?" es uno de los juegos más divertidos para hacer en el momento del baño, con el objetivo que memorice los nombres de las partes de su cuerpo.

Cantar canciones

Es importante hacerlo de manera diaria para que se habitúe a ellas y recuerde las letras. Puede enfatizar la última sílaba de cada frase porque cuando el bebé comience a hablar, seguramente ésa será la parte que más recordará de la canción y haga el eco de esta manera.

Poesías infantiles

Las rimas y los versos son otra forma de estimular el habla y ampliar su vocabulario. Es preferible elegir dos o tres que sean sus preferidas y repetirlas todos los días. (Les encanta la repetición porque les permite anticiparse y participar.) De esta forma, comenzará diciendo la última o la primera sílaba de la rima.

Tercera persona

Los bebés no entienden de artículos ni pronombres sino de frases dichas en tercera persona. "Yo", "tú", "él", tienen que ser sustituidos por "mamá", "el nene", "el señor". En estas voces narrativas es conveniente contarle todo lo que se hace o está ocurriendo.

Frente al espejo

El bebé no sólo debe aprender el significado de las palabras y los sonidos de cada vocablo. También debe ejercitar la coordinación de los músculos faciales, la fonética de cada término y la articulación de las palabras. Si se lo ubica frente al espejo para hablar y vocalizar, podrá imitar los movimientos de la boca.

Contacto visual

Mirarlo a los ojos mientras se le habla aumentará su nivel de atención. Además, se logrará que, durante esta práctica, el bebé mire fijamente a la persona que le está hablando.

Hablar con voz suave pero clara

Entenderá mejor lo que se le dice y fijará con mayor facilidad en la memoria los sonidos cuando sean más claros.

Pocas palabras

No hay que ser verborrágico con los bebés. Cuantas menos palabras y frases se les diga será mejor para no aturdirlo con excesiva información.

¡Más actividades para estimularlo!

CAPÍTULO 8

Recién nacido

Diálogo de miradas

Le encanta observar la cara de su madre. Colóquelo sobre su falda a una distancia de 30 centímetros. Mírelo y sonríale suavemente, permitiendo que observe los detalles del rostro. Realice diferentes gestos, siempre suavemente.

Agudeza visual

Para mejorar el enfoque visual del bebé, tome un juguete colorido y simple –por ejemplo, una pelota– y colóquela a la altura de sus ojos. Muévala muy lentamente de un costado a otro.

Sonrisas

Los bebés son emocionales y sensibles. Para ellos, las emociones positivas son otra forma de alimento. La sonrisa es una excelente forma de expresión y de brindarle alegría. Cada vez que lo mire no olvide hacerlo con una sonrisa.

Danza

Moverse al compás de la música mientras se lo acuna en brazos es otra experiencia muy estimulante para el bebé. No dé giros o vueltas rápidas porque lo marean y eso no le gustará. En cambio, sosténgalo con firmeza porque él necesita la sensación de seguridad que le brindan brazos firmes.

Un mes

Palabras

Mientras lo viste o lo cambia nombre diferentes partes del cuerpo y repita cada palabra varias veces.

Texturas

La piel del bebé es muy sensible a las sensaciones. Para aprovechar el desarrollo del sentido del tacto, puede brindarle caricias utilizando elementos diversos como un trozo de terciopelo, de seda, un copo de algodón, una toalla rugosa.

Dos meses

Palabras

Aprovechando la atención que él presta cuando se le habla, mencione las partes del cuerpo y tóquelas en el momento del baño o al cambiarlo.

Identidad

Si aún no lo hacía, ya es hora de llamarlo por su nombre.

Bebesit

Siempre que se pueda, llévelo en su mecedora o cochecito. De esta manera, podrá observar y escuchar cómo cocina, trabaja, tiende la ropa o descansa.

Música

Baile al compás de la música, juegue, siga el ritmo dando palmadas, mueva las manos o la cabeza. Realice todas las actividades que pueda con música de fondo. El bebé lo disfrutará notablemente.

Juego de miradas

Es momento de aprovechar la capacidad que tiene de fijar la vista. Mírelo detenidamente y mueva su rostro para que lo siga con la mirada. Realice el ejercicio como un juego divertido que lo sorprenda. No es extraño que responda con grititos y sonrisas. Está aprendiendo a demostrar sus emociones y a interactuar con los demás.

Tres meses

Diálogos

Cuando balbucee o emita grititos, hay que imitarlo. Es una excelente forma de estimularlo a pronunciar más sonidos y a participar en diálogos improvisados con sus padres.

Cuatro meses

Manos
Acérquele objetos para que los tome con sus manos. Quíteselos despacio para que no se enoje y verifique si intenta volver a tomarlos. Repita la operación y acerque el objeto a la otra mano. De esta manera se lo estimula a que utilice las dos manos.

En el baño
Déjelo chapotear todos los días un rato. Esto fortalecerá los músculos de sus piernas y brazos.

Sentarse
Es hora de comenzar a ejercitar los músculos de la espalda para que logre sostenerse erguido. En uno o dos meses, el médico indicará sentarlo para comenzar a darle las primeras papillas.

De paseo
A los cuatro meses, el coche cuna ya quedó atrás. Es hora de levantar el respaldo al salir de paseo. De esta manera podrá observar todo lo que se encuentra en la calle.

Caricias
Aprovechando las habilidades que está logrando en su motricidad fina, tome una de sus manos y haga que le dé una caricia en la mejilla. Luego repita la caricia en su propia carita.

Cinco meses

Caja de sorpresas

Aunque es muy pronto para el ejercicio de permanencia del objeto (cuando el niño intenta buscar algo que fue escondido ante sus ojos, por ejemplo, debajo de una manta) es conveniente familiarizarlo con diferentes elementos que aparecen y desaparecen.

Espejo infaltable

El espejo infantil irrompible es un juguete ideal para esta etapa. Otra alternativa es bailar con él frente a un espejo: será fantástico para que aprenda a reconocerse y tome conciencia de sí mismo.

Manipulación

Ofrézcale objetos blandos, peluches pequeños y elementos mullidos y esponjosos para que los apriete y ejercite los músculos de sus manos.

Dialogando

Háblele todo lo que se pueda, repitiendo lentamente los nombres de las cosas. Otro ejercicio interesante es poner una de las manos del bebé sobre su boca, mientras le habla, para que él sienta la vibración de distintas sílabas. Esto le permitirá relacionar el movimiento de los labios con la pronunciación de sonidos.

¿Dónde está?

El ejercicio de ocultamiento y aparición es muy estimulante. Es conveniente repetirlo. Un pañuelo liviano sobre su carita para que él mismo se lo quite, será una nueva versión del juego que disfrutará con gran alegría.

Seis meses

Los primeros límites

Puede comenzar a incorporar el "no" como prohibición.
Es fundamental que, desde muy pequeño, sepa qué cosas
no debe hacer. Cada vez que intente tocar algo peligroso,
es conveniente repetir un "no", acompañado con el movimiento característico del dedo índice y con un tono de voz
que exprese firmeza y autoridad.

El límite tiene que ser puesto con coherencia, repitiéndo-
lo siempre que esté por realizar la misma acción. Si un
día se le permite determinada licencia y otro se la prohí-
be, el bebé recibirá un mensaje confuso.

Baile con papá

La música y la danza son muy placenteras para el bebé.
Esto lo comprobará cuando comience a permanecer parado o camine solo y vea cómo se mueve cuando escucha
música. Le encantará pasar de brazo en brazo, para bailar
con papá y los abuelos al ritmo de cada uno de ellos.

Manitos

No hay que olvidar los juegos con las manos, las canciones y las rimas infantiles para mover los dedos. Son excelentes para mejorar la coordinación y enseñarle a aplaudir. Como los niños son excelentes imitadores, todos los
movimientos de manos que podamos hacerles frente a
sus ojos serán un excelente ejercicio.

Siete meses

Hola y chau

Puede comenzar a comprender el significado de algunas palabras. Por ejemplo, hola y chau. Salúdelo de esta manera y realice el gesto con la mano. El bebé muy pronto también sabrá hacerlo.

Angustia de separación

Como se angustia cuando su mamá se va, es bueno jugar a las escondidas detrás de las manos o de una puerta. El papá o los abuelos pueden preguntarle: "¿Dónde está mamá?". De esta manera comprenderá que su madre no "desaparece" cuando deja de verla sino que siempre regresa a su lado.

Autonomía

Colóquele una media en un pie y anímelo a que se la quite. Ejercitará de este modo su motricidad fina y el bebé estará encantado al experimentar un nuevo logro.

Integración social

Aunque no es lo más cómodo para la mamá, es preferible que el niño coma junto con el resto de la familia para habituarse a los ritmos de la casa y aprender de los demás.

Ocho meses

Insistir con el "no"

Los límites y las pautas pueden comenzar a marcarse en estos meses. Aunque todavía no haga caso de ellos irá incorporando la noción de autoridad que representan los padres. Los bebés carecen de la conciencia de peligro hasta los tres años. Por lo tanto, los padres tendrán un buen trabajo por delante. Los cables, los aparatos eléctricos, los elementos cortantes, treparse en determinados lugares, los artículos de limpieza, la desinfección, las sustancias tóxicas o los medicamentos son algunos de los cuidados con los que habrá que insistir, además de tenerlos fuera de su alcance. No olvidar que el "no" debe ser siempre expresado con firmeza, sin sonrisas ni juegos.

Dentro y fuera

Hay sets de juguetes como cubos o barrilitos que se presentan en diferentes tamaños para acomodarlos unos dentro de otros y luego superponerlos en una torre. Por el momento, será muy útil su primera función, ya que el bebé está incorporando el concepto "dentro y fuera".

Túnel

Es muy probable que en diferentes salones de juegos haya túneles fabricados con gomaespuma o con materiales plásticos. Usted podrá improvisarlos, armándolos con cajas de cartón grandes a las que le quitará el fondo y la tapa y cerrará con cinta de embalar. El objetivo de esta actividad es estimular en el bebé la capacidad de resolver problemas en la medida en que él solo se acerca a la salida del túnel.

Todas las noches un cuento
Hasta que se familiarice con la lectura y que él mismo elija los libritos que quiere que le lean, todas las noches puede leerle un cuento. Es conveniente que sean los de hojas duras, con dibujos coloridos. Los relatos con personajes fantásticos aún no son convenientes.

Rataplán plán plán
Se podrá armar una batería con jarros metálicos, cucharas de madera y utensilios de cocina plásticos. Permítale que juegue haciendo ruido e intentando acertar en sus golpes. De esta forma, mejorará notablemente su coordinación vista-mano y la de todo su cuerpo.

Nueve meses

Burbujas

Las pompas de jabón le encantan y ya puede intentar romperlas con la mano, lo cual lo ayudará a perfeccionar la coordinación vista-mano.

Tapas duras

Muchas personas se preguntan por qué hay que comprarles libritos de tapas duras. Muchos creen que porque son más difíciles de romper. En realidad, las hojas rígidas son más fáciles de dar vuelta para los bebés y así ejercitan también su motricidad fina.

Aire libre

Aproveche las salidas a espacios abiertos para mostrarle cosas nuevas. Si pasa un avión y escucha el ruido, señáleselo para que vea el origen del sonido. Proceda del mismo modo con los pájaros o los movimientos de las hojas de los árboles por el viento.

Diez meses

Andador

Cuando comienza a caminar sostenido de muebles y paredes, los andadores son muy útiles. Se trata de carritos con ruedas sobre los cuales el bebé se apoya para andar. Les ofrece seguridad para intentar la marcha y, por lo general, comienzan a ganar velocidad, confiados en el sostén del aparato. Por eso no hay que dejarlos solos, porque en una de esas carreras que inician con tanto entusiasmo pueden tropezar y golpearse intensamente.

Miau

Los sonidos de los animales siguen siendo una de las formas más eficaces para entrenar las cuerdas vocales del bebé. Son fáciles de pronunciar y permiten ejercitar su capacidad de asociación. Mientras se lee un cuento o se ven animales por la calle, repetir al bebé el nombre real del animal y luego su onomatopeya: "Ese es un gato que dice miau".

Subir y bajar solo

Es hora de comenzar a entrenarlo en una actividad fundamental para su seguridad: subir y bajar de "cola" del sofá o la cama. Un buen ejercicio es subirse con él en cuatro patas a la cama, gatear un rato para que asimile nuestros movimientos, afines a los de él, y sea más factible que los imite. Después uno se puede trasladar hacia el borde de la cama avanzando de cola o hacia atrás, acercando las rodillas. Es conveniente apoyar la panza en la cama, bajar los pies y las piernas, apoyar las rodillas en el piso y continuar gateando.

Once meses

Payasos

Para aprovechar el sentido del humor del bebé, que crece día a día, los adultos pueden comenzar a hacer payasadas. Por ejemplo, hacer que se caen, ponerse una pelota en la cabeza y dejarla caer o patalear con gestos graciosos. El bebé disfrutará a las risotadas de estos momentos de diversión. Hay que tener cuidado con lo que se hace porque él imitará todo. No es conveniente jugar a que se choca la cabeza contra la pared o que se golpea con algún elemento contundente ya que se corre el riesgo que el niño lo repita sin el control que el adulto aplica a la situación.

Contacto con otros niños

Si bien todavía no comparte su juego con otros niños, el contacto con ellos es necesario para su desarrollo. Una plaza, un patio de juegos o los hijos de amigos son opciones válidas para que los bebés que no concurren a jardines maternales comiencen a socializarse.

Baño

Permítale que, frente al espejo, intente peinarse después del baño. Disfrutará mucho del halago cuando lo felicite por lo bien que lo hace.

Doce meses

Un rato solito

Los bebés de un año pueden comenzar a entretenerse solos de a ratos. Siempre hay que recordar que deben estar en un lugar seguro y sin elementos de riesgo a su alrededor. Cuando llore o reclame atención hay que acudir inmediatamente a su lado para que no se angustie.

Imitador

Los juegos de imitación, como un teléfono o las herramientas plásticas son algunos de los elementos que más lo entretienen a esta edad y que serán muy útiles cuando precise dejarlo solo durante un rato.

Baile

Al poder dominar su equilibrio mientras está parado o caminando, el bebé puede comenzar a bailar solo. Si aún no lo hace en forma espontánea es conveniente animarlo a bailar con las canciones que más le gusten.

¿Dónde está papá?

Preguntarle a menudo por sus seres queridos es una forma de estimularlo a que los señale y los busque. Facilita la comunicación en la familia y afianza los lazos afectivos.

Índice

APR 07